겨 울 에 게

겨울에게

발　행 | 2024년 3월 8일
저　자 | 민해린
펴낸이 | 한건희
펴낸곳 | 주식회사 부크크
출판사등록 | 2014.07.15.(제2014-16호)
주　소 | 서울특별시 금천구 가산디지털1로 119 SK트윈타워 A동 305호
전　화 | 1670-8316
이메일 | info@bookk.co.kr

ISBN | 979-11-410-7553-8

www.bookk.co.kr

겨울에게

사랑하는 계절을 누리며 발견한 것들

민 해 린

단 상 집

차례

1부

2부

저는 책을 읽을 때 피아노로 연주된 새소년의
난춘을 들어요.

1부

여행기록

자두

나는 엄마가 없으면 세상이 무너지는 아이였다. 어린이집에서 친구들과 함께 리조트에 놀러간 날 밤, 엄마가 선생님께 몰래 전달한 편지를 귀로 읽으며 울음을 삼켰다. 아니, 내뱉었나. 어릴 때라 정확히 기억나진 않는다. 선생님께서는 엄마들의 편지를 다 읽어주시고는 우리에게 자두를 주셨다. 그날 이후로 자두를 보면 엄마를 갈망하던 그때의 심정이 느껴진다.

어릴 때 엄마랑 떨어지기 싫어해서 엄마 속을 그렇게 썩혔다고 한다. 없으면 울고, 있으면 껌딱지처럼 곁에 찰싹 붙어있었다. 엄마의 사랑이 좋아서도 있지만, 사실 어딘가 불안했던 것 같다. 불안감이 어디서 기인했는지는 아직까지 모른다. 단지 그 불안이 여전히 내 속에 존재한다는 것만 안다.

초등학교 시절, 엄마는 종종 내 목에 스카프를 둘러주셨다. 엄마 냄새가 나는 부드러운 스카프를. 그것을 내 심장보다 소중히 대했다. 스카프에 내 침이 묻는 것도 싫었을 정도로. 엄마의 냄새가 사라지는 게 싫어서 냄새가 밖으로 다 흩어지기 전에 얼른 가방에 넣었다. 추운 아침이 지나면 고사리 같은 손으로 고이고이 접어서.

세월이 흐른 후, 이젠 엄마 없이도 굳건히 어딘가로 향할 수 있다고 생각했다. 하지만 오늘 아침 집에서 받아온 초코파이 한 개를, 아직까지 먹지 못하고 있다. 긴 시간동안 버스만 타느라 허기가 졌는데도 초코파이 봉지를 뜯을 엄두조차 못 내고 있다.

나는 아직도 엄마를 생각하며 자두를 삼키던 아이로 남아있었다.

여전히 엄마 옆에 붙어있고 싶고, 지금도 엄마가 주는 모든 것을 내 것보다 소중히 여기는, '마음속에 불안이 가득한 아이'로 살고 있다는 것을 깨달았다.

대체 이 불안을 어디서부터 끊어먹어야 하는 것인지, 불안정한 애착이 나를 갉아먹고 있는 건 아닌지 또 다시 불안해진다. 불안은 또 다른 불안을 낳고 그 불안들은 날 악몽으로 이끈다. 꿈은 내 마음대로 꾸지도 깨지도 못해서 더 고통스럽다.

고독해지는 길이 아득히 멀게 느껴진다.
엄마가 보고 싶다.

고독의 편식

적막한 강릉이 낯설기만 하다. 나는 소음 속에서의 침묵을 사랑하는 사람이었나. 소리 하나 들리지 않는 곳에 가니, 오히려 고요함이 무서워졌다. 지금까지 내가 추구했던 침묵은 어떤 맛이었는지 돌이켜 보게 된다.

편식쟁이는 쉽게 허기가 진다. 영양소를 골고루 섭취하지 못해 몸이 더 강한 것을 원하기 때문일까. 특정한 고독을 추구하니 더 큰 고독을 갈망하게 되었다. 더 혼자 있고 싶고, 모든 사람들이 나를 내버려뒀으면 하는. 그런데 다시 생각해 보니, 이런 투정은 오히려 배고픔의 투정이었다. 나를 내버려두지 말아줘. 나를 혼자 두지 말아줘. 나를 꼬옥 껴안아줘.

모든 고독의 시간은 소중하다. 고독을 편식하면 쉽게 외로워진다. 어떤 때는 씁쓸한 맛이, 어떤 때는 달콤한 맛이, 또 다른 때는 살짝 매운 맛이…. 각 상황마다 필요한 고독이 있다. 나는 유독 밍밍한 고독을 싫어했다. 홀로 있는 것을 좋아했지만 금방이라도 다시 강력한 맛을 원했다. 애니메이션을 본다든가, 드라마를 본다든가.

온전히 나를 들여다보는 시간은 싱겁기만 했다. 이 시간이 지속되면 금방이라도 우울의 구렁텅이에 빠져들 것만 같아서 두려웠던 걸까. 여태껏 나는, 나를 내리쬐는 햇빛만 사랑하고 내게서 그려지는 그림자는 외면했다.

편식쟁이는 싫어하는 음식이 나오면 입을 꾹 다문다. 싫다고 떵떵거리진 않는다. 이제 다 컸으니까. 찡찡대긴 창피해 도리어 침묵한다. 내게 강릉여행이 그랬다. 싫어하는 음식이 잔뜩 나온 밥상 같은.

배고프다고 징징거리며 큰 소리를 쳤지만 정작 밥상 앞에 앉아 수저 하나 못 드는 꼴이라니.

나는 지독한 고독의 편식쟁이였다.

관조

자신을 들여다본다는 것은 어떤 의미인가요. 스스로 생각하기에도 나는 복잡한 인간이라, 탐구하고자 하는 의지가 쉽게 생기지 않습니다. 누군가가 끊임없이 이해되면서도 끝까지 이해가 되지 않아요. 사람을 너무나 사랑하지만 사람이 밉습니다.

인간에 대한 미움은 나를 저버리지 않았으면 하는 마음에서 흘러나오는 것일까요. 뒤늦게 미워하면 더 힘드니까 미리 미워해두는 걸까요. 아직도 나는 내가 이해되지 않아요.

메모 1

1.
내가 만든 세상을 믿지만,
그 세상이 매우 작다는 것을 안다.

2.
자기연민이 아니라 자기객관화를 통해서 나를 사랑하고 싶다.

3.
덜어낼 줄 아는 어른이 되고 싶다.

4.
바다를 사랑하는 사람
밤마다 어떤 꿈을 꾸게 될지 기대감에 부풀며 잠드는 사람
사랑과 진심이 지닌 힘을 믿는 사람

그런 사람이 가지게 될 힘을 믿는다.

겨울에게

겨울은 내게 고향과 같다. 언제나 겨울을 그리워한다는 점이. 겨울이 오면 생각이 깊어진다는 점이. 꼭 고향을 생각하는 것 같다.

찬란한 봄에 태어나놓고 왜 이리도 겨울을 사랑하는 것인지. 가장 멀기도 가장 가깝기도 한 겨울이 뭐가 그리 좋은 것인지. 봄이 떠나면 홀로 외롭게 자신의 시기를 기다릴 겨울이 안쓰러워 더 마음이 가는 건가 싶다.

겨울은 봄이 좋아 봄의 곁에 오래 머문다. 사람들은 봄을 향한 겨울의 짝사랑을 '꽃샘추위'라 부른다. 그 짝사랑이 멎을 때쯤에 태어난 나는 겨울의 쓸쓸한 뒷모습을 보며 봄을 경험했다. 그래서 봄보다 겨울에게 더 마음이 가는 것일까.

봄이 보고 싶어 내리는 너의 흰 눈물도, 추워서 더 달라붙는 연인들이 질투나 매섭게 부는 너의 바람도 사랑한다. 가을도 훌쩍 떠나버려 외로워진 너의 기나긴 어둠도 사랑한다. 네 어둠 덕분에 세상 사람들은 자신을 돌이켜 보는 시간이 늘었단다. 네가 누군가를 사랑했기에 세상은 더 아름다워질 수 있었어. 네 눈물이 만든 하얀 세상이 사람들을 행복하게 한다는 사실을 아니. 네 짝사랑의 시간이 때론 달콤하다는 것을 알고 있니. 사람들은 네가 가장 힘든 시기에 캐롤을 부르며 행복해 한단다. 시끌벅적하니 정신 사납지? 봄은 말끔히 잊게 되지? 짝사랑의 시간이 늘 외롭고 씁쓸하지만은 않지? 원래 사랑이라는 게 그런 거야. 매번 짜증나고 속상하진 않아. 그렇기 때문에 우리는 계속해서 사랑을 하는 거지.

오늘도 너는 봄을 사랑하고
나는 추운 너를 사랑해.

바다 향기

바다를 직접 만나기 전까지, 바다에게선 무취의 향이 날 거라 생각했다. 향기는 호불호를 많이 타서, 아무리 고급진 브랜드의 향수라도 내 취향이 아니면 손길이 가지 않는다. 그래서 내게 바다의 향은 무취였다. 좋은 향보다 향이 나지 않는 것이 누구에게나 매력적으로 보일 거라 생각했기 때문에.

처음 들이킨 바다의 향기는 짰다. 짠 게 당연한 건데 어쩐지 의문이 들었다. 이상해. 머릿속으로 상상했던 것이 무너지며 바다가 이질적으로 느껴졌다.

하지만 이젠 안다. 향기는 순간을 기억으로 저장시킨다는 것을. 바다의 짠내를 맡으면, 나는 바다와 함께 있는 모든 순간을 소중히 간직할 수 있게 된다.

해변의 모래를 밟으며 짠 냄새가 가까워짐을 느낀다. 내가 바다를 향해 나아가고 있음을 실감한다. 마음이 경쾌해진다. 바다는 삐친 마음이 풀린 나를 그 자리에서 변함없이 기다리고 있었다. 나는 미소를 머금으며 신나게 모래를 밟는다.

뿌연 흙탕물

좋아하는 헤세의 시가 있다.

안개 속을 거닐면 참으로 이상하다
덤불과 돌은 모두 외롭고
수목들도 서로가 보이지 않는다
모두가 다 혼자이다.

…… (중략)

안개 속을 거닐면 참으로 이상하다
살아 있다는 것은 고독하다는 것
사람들은 서로를 알지 못한다
모두가 다 혼자이다.

/ 안개 속에서, 헤르만 헤세

헤세가 말한 안개 속을 내내 걷는 것 같을 때가 있다. 그 누구도 보이지 않는다. 보이지 않아서 강제로 외로워진다. 타인을 지나치게 신경 써서 지칠 대로 지친 때에는 그 안개가 반갑다. 안개를 일부러 찾아다니기도 한다. 하지만 강제로 찾아오는 안개는 그리 반갑지 않다. 강제적인 안개는 희고 깨끗한 안개가 아니라 어딘가 퀴퀴할 것 같은 불쾌한 검은색 안개다. 마치 흙탕물 같은.

콜록콜록

외로움은 기침이다. 참기 힘든 기침처럼, 인간은 언제나 외로움을 참을 수 없다.

기침은 참을수록 그 고통이 더 커져간다. 크기가 더 커져서 더 괴로운 기침을 하게 된다. 외롭지 않다고 외면할수록 더 괴로워지는 외로움처럼.

하지만 나는 이제 기침을 참는 방법을 안다. 쉽게 잘 되지는 않지만, 어느 정도의 작은 기침들은 소리를 내지 않고 목 뒤로 넘길 수 있다.

나는 이제 외로움을 참는 방법을 안다. 쉽지는 않지만.

기침소리를 듣고
감기약을 내미는 손들이 하염없이 고맙다.

파도가 잘 보이는 시간

파도는 밤에 가장 잘 보인다. 마치 새벽만 되면 혼란에 휩싸이는 나처럼. 파도는 어둠을 견디질 못해 마구 요동친다.

너도 밤이 되면 더 크게 소리치는구나.
너를 알아달라고 말이야.

그런 네 마음을 이해해.

유독 파도가 치는 겨울밤이 차갑게 느껴진다.

최고의 술래

분홍빛의 바다는 숨바꼭질의 술래가 되어선 안 된다. 숨기고 싶은 것들이 속수무책으로 흘러나오니까. 불가항력을 바다의 색으로 표현한다면 주저하지 않고 분홍빛 바다를 고르겠다.

홀로 여행을 온 나는 매번 미소를 숨겼다. 혼자 히히거리며 웃는 건 어딘가 수상해 보이니까. 그렇게 미소는 숨바꼭질을 시작했다. 유독 혼자 있을 때의 미소는 숨바꼭질의 최강자가 된다. 그런 강자를 무력하게 만든 것이 바로 분홍빛 바다였다.

누가 수상하게 보더라도 뭐 어떤가. 눈앞에 꿈에 그리던 바다가 있는데. 미소는 숨질 못 했다. 고독 속에서 펼쳐진 치열한 숨바꼭질의 승자는 결국 분홍빛 바다였다.

운수 안 좋은 날★

아저씨, 잠깐만요! 잠결에 헐레벌떡 짐을 챙긴다. 혹시라도 버스 기사님이 내 짐을 가지고 떠나버릴까 봐 거대한 버스의 옆구리를 퉁퉁 친다. 안도의 한숨을 내쉬며 눈을 감았다 뜬 후 내뱉은 말.

아, 잘못 내렸다.

덕분에 몇 주 전부터 세워둔 계획이 무의미해졌다. 결국 계획이 왕창 적힌 노트 대신 지도를 켠다. 일단 당이 필요해. 급하게 근처 카페를 검색한다. 검색한 카페에 들어서자 잘못 들어왔다는 생각이 몰려온다. 인스타에서 유명한 핫플인가. 사람들이 끊임없이 북적였다.

아, 잘못 왔다.

뜨끈한 국물이 먹고 싶어 찾아둔 식당을 가려고 했지만, 가게 안을 꽉 채운 아저씨들이 내 발걸음을 막아섰다. 어쩔 수 없이 다른 식당에 들어가서 밥을 먹었다. 밥은 더럽게 비쌌고 아주 맛없었다.

★ 운수 좋은 날, 현진건

아, 잘못 시켰다.

돌이켜보면 좋은 일이 하나도 없는 하루였다. 버스도, 카페도, 저녁도 전부 별로였던 날. 그러나 일기장에는 행복했다고 적는다.

오늘 본 고성 바다가 너무 예뻐서.

고성 바다는 잔잔하면서도 깊었다. 잔잔함에 속아 다가 갔다가 그 깊이에 놀라 급하게 뒷걸음질을 칠 것 같은. 나는 그게 좋았다. 섣불리 다가가기 어려운 고성 바다의 아우라가 좋았다.

이틀 전부터 강원도에 눈이 많이 내릴 거라는 소식을 들었다. 지레 겁을 먹고 여행 첫날밤부터 걱정이 이만저만이 아니었는데, 이게 웬걸. 눈의 ㄴ자도 보지 못했다.

덕분에 나는 예쁜 고성의 바다를 보았고, 좋아하는 4시 30분의 분홍색 하늘을 보았고, 젖은 곳 하나 없이 따뜻한 숙소에 들어올 수 있었다.

아,
어쩐지 오늘 운수가 안 좋더라니.

구석진 바다

외로운 바다는 홀로 온 이가 반가워
푹푹 모래를 내민다

공평한 계절

겨울은
바다에게도
고독을 선사하는
공평한 계절

고개를 돌리면

고개를 돌리면 바다가 보이는 곳에서 사는 인생은 어떤 느낌일까. 가끔씩 어릴 때 자주 먹던 해산물들이 먹고 싶다며 입맛을 다시는 엄마의 모습이 생각난다. 목포에서 자란 엄마는 해산물을 유독 좋아했다. 엄마에겐 바다의 짠내가 고향의 냄새였다.

나에겐 아직도 어려운 바다가, 그들에게는 친근한 존재겠지. 그런 생각을 하니 또 다시 스멀스멀 부러운 마음이 피어오른다. 아니야. 나도 친해지면 되지. 자주 너를 보러 오면 그만이야.

숙소로 가는 길, 고성의 버스는 광주와는 달리 아주 천천히 운행된다. 어떤 이유 때문인지는 모르겠지만, 여행을 온 사람의 입장에선 너무나 고마운 속도였다. 내 힘으로 움직이지 않아도 속초와 고성을 천천히 눈에 담을 수 있다니. 얼마나 감사한 일인가.

고개를 돌리면 바다가 보인다.

이별

머무는 것과 떠나는 일 중에 어떤 것이 더 어려운 일인지 생각한다.

남아있는 사람들을 놓지 못한 채 떠나는 것은,
머무는 것과 같다는 생각도 종종하면서.

여행객

내 일상에 여행객이 들어선다는 것은 어떤 의미일까. 쉽게 고맙다는 말이 나오고, 쉽게 눈인사가 오가고, 쉽게 미소를 짓는 그들은 가히 매력적이다. 그래서 더 눈길이 가는 것 같다. 특히나 홀로 여행을 온 사람들은 갈 곳 잃은 강아지 같아 차마 외면할 수가 없다. 도와주고 싶고 반겨주고 싶은 매력을 가진 여행객들. 종종 나도 그 무리에 속해 일상을 살아가는 사람들에게 예쁨 받고 싶다는 생각을 한다.

여행은
여행을 하는 사람에게도,
여행자들을 바라보는 사람에게도,
따뜻한 마음을 가지게 한다.

2부

주저리

네가 쥐고 있는 것

너는 슈가 파우더
나는 돌맹이

네가 쥐고 있는 것은
마치 슈가 파우더 같아

손에 쥐면 사라질 생각들을 너는
꼭 쥐어서 놓질 않아

그거 알지
슈가 파우더는 고르고 또 고르는 거

돌맹이는 슈가 파우더에 못 섞여
하지만
슈가 파우더는 돌맹이에 스며들 수 있다

그래서 너는 날 이해할 수 있는데
나는 널 이해하지 못하나 봐

나는 돌맹이
너는 슈가 파우더

정(情)

어째서 사람은 오래 볼수록 더 좋아지는 걸까. 슬프게.

시간이 사랑을 만드는 것일까, 아니면 사랑이 시간을 흐르게 만드는 것일까. 좋아서 오래 보는 사람도 있지만, 오래 보니 좋은 사람이 있다.

숨소리

사람의 숨소리를 들으며 잘 때 사람은 안정된다. 종종 옆 사람의 숨소리에 맞춰 숨을 들이키면 적막한 밤이 하나의 놀이터가 된다. 아, 이 리듬이 아니네. 아기는 숨을 엄청 빨리 내쉬는구나. 엄마는 엄청 천천히 숨을 쉬네. 그렇게 그 사람의 숨소리에 집중하다보면 잠에 든 사람이 사랑스러워진다. 어두운 밤, 곁에서 무해한 사람들이 자고 있다는 사실이 나를 안정시킨다. 혼자 자게 된 지가 꽤 오래 돼서 이 사실을 잊고 지냈다. 곤히 잠든 타인의 숨소리는 '길고 긴 밤 내내 나는 네 곁에 있을 테니 편하게 잠들어도 돼.'라는 말과도 같다는 것을.

제목 정하기

제목 정하는 게 그렇게 어렵더라
네가 왜 좋은지 구구절절 설명하는 건 쉬운데
사랑해
이 한 마디가 무거운 것처럼

다한증

겨울밤
생각이 많아져
손에 땀이 차 있을 땐
바로 옆에 있는 창문을 열고
식힌다
손을
마음을

잊기 힘든 말

사람은 누구나 마음속에 담아두는 말이 있다. 때로는 잊고 싶어도 잊기 어려운 말. 또… 잊기 싫은 말.

나는 네가 너만의 세계가 있는 것 같아 좋았어. 시와 음악을 좋아하고 작은 동물과 어린 아이들을 좋아하고, 차가운 세상에서 너만의 울타리를 짓고, 그 안의 자기 것들을 사랑하며 사는 모습이 좋았어. 한편으론 그 안에 내가 들어가지 못했다는 사실에 서운하고 외로웠어. 나도 천천히 그 울타리 안에 들어가고 싶어.

결국 그 사람도, 그를 향한 내 마음도 떠났지만
그가 해준 말은 오래오래 내 곁에 남아
나를 괴롭히며
나를 안아줄 것 같다.

수용

이런 나를 받아들이는 과정이 남을 이해하는 과정보다 더 어렵게 느껴질 때가 있다.

그럼에도 불구하고

가장 좋아하는 말을 뽑으라면 '그럼에도 불구하고'를 고르겠다. 이 말은 마법을 부릴 수 있다. 그 앞에 있던 모든 걸 무색하게 만들어 버리는 마법을.

그럼에도 불구하고 나는 열심히 살아가려고 한다.
그럼에도 불구하고 나는 이 길을 선택했다.
그럼에도 불구하고 나는 너를 사랑한다.

언어의 먼치킨★, 그럼에도 불구하고.

★ 웹툰·웹소설·게임 등에서 강력한 힘을 가진 캐릭터를 지칭할 때 쓰는 말.

알 모 ( )

네가 궁금해, 라는 말은
이제부터 나는 너를 사랑하게 될 거야, 라는 말과 같다.

내가 궁금해 했던 모든 것은 사랑스러웠다.

호기심은 사랑의 시작선이다.

그런 의미에서 알다가도 모르겠는 것은 꽤 매력적인 것이다. 그것에 대해 계속해서 궁금해지니까. 애정이 계속해서 피어오르니까.

사랑, 신뢰, 책, 바다, 음악, 친구들, 가족들…
알다가도 모르겠는 것들.

사라지는 한 걸음

용기를 이어나갈 수 없다면
그것은 무모함으로 끝이 난다

그 사실이 나를 무기력하게 만든다

시작이 반이라고들 하지만
한 걸음 내딛고 나니
앞으로 나아갈 길이 더 늘어난 것만 같아서

그동안의 내 용기가
전부 무모함은 아니었을지
덜컥 두려워져서

발자국을 남기고 싶지 않아
뒷걸음질을 치고
지우고 또 지운다

모범생

인생의 모범생이 되고 싶다. 배움에 망설임이 없고, 오답노트를 꼼꼼히 정리하는. 예습을 놓치지 않고, 복습을 꾸준히 하는. 자기가 무조건 옳다고 생각하지 않으며 유연하고 말랑한 머리를 가지고 더 많은 세계를 바라보고 담는 모범생이 되고 싶다.

미워하는 마음

이유 없는 미움에 언제쯤 익숙해질까. 같은 생각으로 수많은 새벽을 보냈다. 어제는 누군가를 미워하는 나를 혐오했다. 오늘은 차라리 미워할 수 있을 때 마음껏 미워하자고 다짐한다. 시간이 흘러 점점 더 나이를 먹으면 마음대로 미워하지도 못하게 되니까. 그 사람을 이해하게 되니까. 미워하는 사람을 결국 사랑하게 되니까.

너무 미우면 사랑해 버린다는, 한 배우의 말이 떠오른다.

미워하지 못해 사랑하는 것들이 가득해지는 것이
벌써부터 벅차다.

응원

속에 담아둔 것이 무거워
입 밖으로 내뱉기도 어려울 때가 많다.

언니는 뱉어보는 연습을 하라고 말했다. 자신이 연습 대상이 되어줄 테니 속에서 그만 묵혀두라고.

그 마음이 고마워
지금보다 더 가벼운 사람이 되자고 다짐했다.

대화

1.
누나를 힘들게 하는 사람들이 신경 쓰여.
음…
그런 사람들 신경 쓰지 마?
신경 쓰지 않아도 돼.

2.
누나 왜 사람들은 10초를 셀 때, 10...9......1...0...**땡!** 이럴까? 그렇게 세면 결국 12초를 세는 거잖아.
사람들이 미련해서 그래.
미련이 뭔데?
아쉬운 거. 떠나보내기 아쉬운 걸 미련이라고 해.
그럼 '때애애앵-' 이렇게 하면 되잖아!
그건 너무 추잡하잖아.
......
추잡한 건 싫고 미련은 남으니까 2초만 더한 거야.

메모 2

1.
내 마음을 전부 들키고 싶은 사람이 있고
내 마음을 끝까지 들키고 싶지 않은 사람이 있다

2.
눈을 감아도 어둠과 빛은 구분할 수 있어

3.
사는 건 다 똑같다는 사실이
인간에게 주어지는
신의 다정한 위로인지
신의 가혹한 형벌인지

포스트 아포칼립스★

가끔 내가 좋아하는 것들이 모두 사라지는 상상을 한다. 처음부터 내 곁으로 오지 않았더라면. 그럼 나는 무너질까 무던할까.

★ 세계 종말 이후의 세계

짝사랑

사랑하는 사람이 꿈에 나오면 그 꿈은 너무나 쉽게 깨
진다

꿈에서 깨어나는 것처럼
사랑에서도 금방 깨어났으면 좋겠는데

깨고 나니
그 사람에게 더 빠져버려서

눈을 다시 감을 수도
계속 뜨고 있을 수도 없는
미친 상태

메모 3

1.
지나쳐도 될 감정을 하나하나 곱씹는 것도
나쁜 습관 중 하나다.

2.
사람을 금방 내쳐버린 후 혼자 자책하고 있었는데
쳐낼 줄 아는 것도 용기라는 말을 들었다.

날카로운 말

잘못을 지적하는 것과 상처를 주는 것은 별개임을 깨달았다. 충고는 따끔하지만, 비난은 살 속 깊숙이 들어와 오랜 시간동안 고통스럽게 한다.

같은 말이라도 받아들이는 사람에 따라 날카로움의 강도가 다르다는 것 또한 안다. 그래서 타인에게 상처를 주지 않기 위해 내가 가진 칼의 날을 무르고 또 무르게 만들어야겠다고 다짐한다. 어쨌든 그 사람이 아프지 않았으면 해서.

다짐

"세상을 바꾸겠다는 결심이 있어야 해. 아무것도 변하지 않을지라도." 유명한 애니메이션 영화감독 미야자키 하야오의 말이다. 그는 세상을 바꾸기 위한 도구로 영화를 선택했다. 그와 같은 도구를 선택한 건 아니지만, 그 말을 들은 후 나 또한 글로 세상을 바꾸겠다고 다짐하게 되었다.

부디 내가 추구하는 아름다운 세상의 모습이
타인에게도 아름답길 바라며.

지구의 위로

두 다리로 서 있는 것조차 힘들 정도로 주저앉고 싶을
때가 있다

중력에 기대어
마음껏 우울해지고 싶은 그런 날이

날씨의 힘

날씨가 나의 기분을 결정하는 것이 때론 억울하기도 하지만, 사실 고마울 때가 더 많다. 바닥을 바라보며 걷게 되는 서글픈 날이라도 고개를 들고 하늘을 올려다보게 하는 맑은 날씨가, 복잡한 머릿속을 날려주는 시원한 바람이 부는 날씨가, 혹은 울적하고 싶은 날 마음껏 울 수 있도록 안아주는 듯한 가랑비 내리는 날씨가 늘 고맙고 또 고맙다.

힘없는 영웅들

사람을 사랑하고 쉽게 연민을 느끼는 자들은
모두 힘없는 영웅들이다.

하지만 힘이 있든 없든
결국 영웅들은
사람을 구하고
사랑을 구하고
세상을 구한다.

Zinc
미닛
메이드
오리지널
포도

EQ 감성지능
지식사전

HENRI
THE CAT WITH

나가며

인생은, 매순간을 어떻게 스토리텔링 할 것인가에 달려있습니다. 그렇기 때문에 우리는 우울한 순간이 오면 비련의 여주인공처럼 울어도 보고, 들장미소녀 캔디처럼 외로워도 슬퍼도 이겨내도 보고, 즐거운 순간에는 해피엔딩을 맞는 주인공처럼 입 아프게 웃어도 보아야 해요. 결국 나에게 주어지는 상황들을 어떻게 받아들이느냐에 따라 삶의 모양이 결정됩니다. 과거의 긍정적인 기억과, 현재의 소소한 행복과, 미래의 희망적인 마음과 함께 나아간다면…… 마지막에는 웃으면서 눈을 감을 수 있겠죠.

결국 우리 모두가 자신의 인생에서 유일한 작가인 것입니다. 그러니 많은 것을 보고 듣고 느끼며 더 넓은 세계를 담는 작가가 되어야 해요. 그래야 더 멋진 삶을 사는 사람이 될 수 있으니까요.

그런 의미에서 이번 푸른꿈 프로그램은, 저를 더 나은 작가로 만들어 준 고마운 프로그램이었습니다. 고독의 시간을 선물하여 진정한 고독은 무엇인지 알게 하고, 스스로를 들여다보게 하고, 타인을 더 그리워하게 해주었습니다. 제가 가장 원했던 것들이었어요. 감사하고 또 감사합니다.

2월의 끝자락

민해린